Copyright © 2006 Ediciones del Eclipse

Copyright desta edição © 2010 Autêntica Editora LTDA.

Título original
El Comelibros

Ilustração
Agustín Comotto

Tradução
Cristina Antunes

Edição geral
Sonia Junqueira (T&S - Texto e Sistema Ltda.)

Diagramação
Alberto Bittencourt

Revisão
Ana Carolina Lins

AUTÊNTICA EDITORA LTDA.
Editora responsável
Rejane Dias

Todos os direitos reservados pela Autêntica Editora. Nenhuma parte desta publicação poderá ser reproduzida, seja por meios mecânicos, eletrônicos, seja via cópia xerográfica, sem a autorização prévia da Editora.

AUTÊNTICA EDITORA LTDA.

Belo Horizonte
Rua Aimorés, 981, 8º andar . Funcionários
30140-071 . Belo Horizonte . MG
Tel.: (55 31) 3222 6819

Televendas: 0800 283 13 22
www.autenticaeditora.com.br

São Paulo
Av. Paulista, 2073 . Conjunto Nacional .
Horsa I . 11º andar . Conj. 1101 . Cerqueira
César . 01311-940 . São Paulo . SP
Tel.: (55 11) 3034 4468

Dados Internacionais de Catalogação na Publicação (CIP)
(Câmara Brasileira do Livro, SP, Brasil)

Comotto

O comedor de livros / Comotto ; [ilustrações do autor ; tradução Cristina Antunes]. – 1. reimp. – Belo Horizonte : Autêntica Editora, 2012.

Título original: El comelibros
ISBN 978-85-7526-494-2

1. Literatura infantojuvenil I. Título.

10-08213   CDD-028.5

Índices para catálogo sistemático:
1. Literatura infantil 028.5
2. Literatura infantojuvenil 028.5

Comotto

TRADUÇÃO
Cristina Antunes

O comedor de livros

1ª reimpressão

autêntica

Para mamãe Sílvia

O comedor de livros

Seguindo um impulso irresistível e sem nenhuma explicação, o senhor B. devora compulsivamente os livros que tem ao seu alcance.

Não importa quais sejam os autores
ou os temas: ele simplesmente come.

Isso vira problema quando o senhor B. vê suas queridas camisas manchadas de letras.

Ele tenta limpá-las, mas,
ao tirá-las da máquina de lavar roupas,

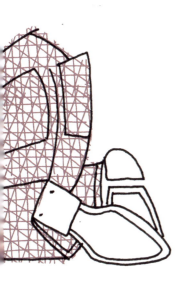

percebe, desapontado, que todas as letras continuam no mesmo lugar.

Nesse mesmo dia, o senhor B. pendura suas camisas no varal, esperando que o sol e o vento resolvam o problema.

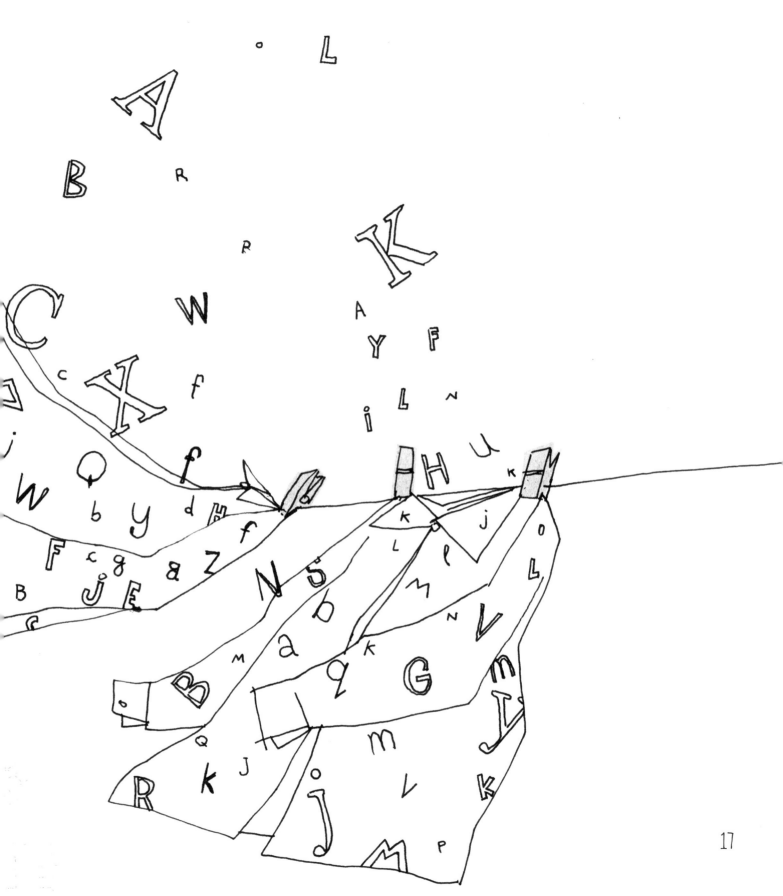

As letras voam desordenadas, inundando o ar, e caem lentamente, perdendo-se nos bosques e nas cidades.

Muitas delas, as que conhecem seu ofício,

preferem cair entre os edifícios mais antigos.

Como a velha livraria do bairro antigo.

Toda última quinta-feira de cada mês,
à tarde, o senhor B. dá um passeio pela cidade.

Toda última quinta-feira de cada mês, à tarde, o senhor B. compra livros na velha livraria do bairro antigo.

Esta obra foi composta com tipografia
A Font e impressa em papel Off Set 150 g na Formato
Artes Gráficas para a Autêntica Editora.